Kasandra Lalancette (102)

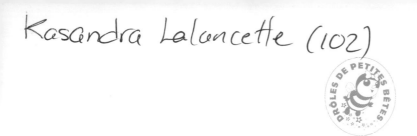

Gallimard Jeunesse / Giboulées sous la direction de Colline Faure-Poirée

© Éditions Gallimard Jeunesse, 1998
ISBN : 978-2-07-051925-5
Premier dépôt légal : avril 1998
Dépôt légal : juin 2012
Numéro d'édition : 244987
Loi n°49956 du 16 juillet 1949
sur les publications destinées à la jeunesse
Imprimé en France par Pollina - L60779D

Adrien le Lapin

Antoon Krings

GALLIMARD JEUNESSE / **GiBOULÉES**

Ce jour-là, le soleil agita si vivement ses rayons que le jardin frémit de joie et en un instant ce fut le printemps. Un printemps gazouillant, bourdonnant où les fleurs se pressaient l'une contre l'autre en se poussant jalousement. Elles s'appelaient violette, bouton d'or, pâquerette, primevère, et Mireille, qui n'était pas une fleur mais une abeille fort laborieuse, entreprit de les compter toutes dès son réveil.

Elle était tellement absorbée par ses comptes qu'elle ne trouva rien de remarquable à l'idée de croiser dans les parterres fleuris un lapin. Or, ce lapin avait un nœud si ravissant autour du cou et portait un panier si délicatement ouvragé, qu'au bout d'un moment notre abeille s'embrouilla dans ses calculs.

– Zut ! Où en étais-je avant de voir ce maudit lapin ? maugréa-t-elle, la tête encore pleine de chiffres. Cent, maud… dix… Mais il n'y a jamais eu de lapin dans le jardin !

– Chut… Ne faites pas tant de bruit, murmura alors une petite voix tremblotante. Il ne faut pas que les monstres nous voient. Vous comprenez, je ne suis pas un lapin ordinaire, je suis un lapin de Pâques en chocolat et hélas, les monstres adorent le chocolat.

Après un profond soupir, le pauvre animal poursuivit :
– D'abord ils nous attrapent en poussant des cris de joie, puis ils nous secouent dans tous les sens pour savoir ce que nous avons dans le ventre, et même s'ils nous couvrent de mille baisers, ils finissent toujours par nous croquer. C'est pourquoi je dois me cacher.

— Eh bien, lapin, dit l'abeille d'un ton désinvolte, si tu parles de ce genre de monstres à deux pattes qui piétinent les plates-bandes en jouant au ballon, et qui arrachent les fleurs pour les offrir à leur maman, rassure-toi, il n'y en a guère par ici, parce que moi, Mireille, je leur pique le derrière. Tout au plus verras-tu un lutin, mais il n'est pas très malin, ajouta-t-elle en s'éloignant pour reprendre ses calculs.

Benjamin le lutin était justement en train d'admirer les fleurs quand il remarqua le lapin à son tour.

– Oh ! Voilà une curieuse fleur ! s'exclama-t-il en flairant la bonne odeur pralinée du rongeur en chocolat. Je me demande à quelle espèce elle appartient avec ses grandes oreilles…

– Je ne suis pas une fleur, je suis un lapin de Pâques qui se cache, répondit alors ce dernier, parfaitement immobile.

– Ça tombe bien, j'adore aussi jouer
à cache-cache ! s'écria le lutin ravi.
Seulement, vois-tu, ici, ce n'est pas une
très bonne cachette. J'en connais de
meilleures que personne ne connaît,
à part moi, bien sûr. Mais en revanche,
si tu me fais goûter les petits œufs
qui sont dans ton panier, je tâcherai de
ne plus m'en souvenir, dit-il en tendant
la main avec insistance.

Le lapin ne put faire autrement.
Il déposa un œuf dans la main du lutin
qui s'empressa de l'avaler.
– Je m'appelle Bon-Bonjamin, s'efforça
de dire Benjamin, la bouche à moitié
pleine.
– Moi, c'est Adrien, dit le lapin.

Ayant ainsi fait connaissance, ils s'en allèrent donc visiter les cachettes du petit homme. Chemin faisant, ils bavardaient entre eux de ceci, de cela, mais plus ils avançaient, plus le panier se vidait de ses œufs, et quand il fut entièrement vide, notre lutin commença à regarder son nouvel ami d'un air plutôt gourmand. Et puis, n'y tenant plus, il se rua brusquement sur lui.

– Aïe ! s'écria Adrien en sursautant.
Tu as failli me mordre. Tu ne voulais
tout de même pas me manger ?
– Oh, non ! fit Benjamin. Je n'ai jamais
songé à une chose pareille. Je voulais
seulement savoir si les lapins de Pâques
avaient le même goût que les poules en
chocolat, parce que je me rappelle
en avoir dévoré une un jour, et tu ne
peux pas imaginer comme c'était bon.
– Je t'en supplie, implora Adrien
épouvanté, ne parlons pas de
ces choses-là. Ça me donne la chair
de poule.

— Bon, d'accord, nous n'en parlerons plus, dit le lutin en s'éloignant tristement.

Après quoi, il y eut quelques minutes de silence pendant lesquelles le petit homme chercha un sujet de conversation moins effrayant.

Et lorsque, enfin, il en trouva un, il s'aperçut que son ami avait disparu.

Il eut beau l'appeler, courir aux quatre coins du jardin, interroger ses voisins, jamais il ne le revit.

Il se demanda même s'il n'avait pas rêvé toute cette histoire… Mais alors comment expliquer qu'il ramassa par-ci par-là de petites crottes en chocolat… et qu'un matin de Pâques il découvrit devant sa porte un gros œuf en papier mâché joliment décoré de lapins enrubannés qui ressemblaient comme des frères à Adrien ?